MIS PRIMERAS MIL PALABRAS

Ilustraciones de Montse Adell

BEASCOA

Primera edición: septiembre de 2008

ISBN: 978-84-488-2764-9
Depósito legal: B-28859-2008
Impreso en España por Gráficas'94
Encuadernación BARO S.XXI

BE 27649

MIS PRIMERAS MIL PALABRAS

Ilustraciones de Montse Adell

BEASCOA

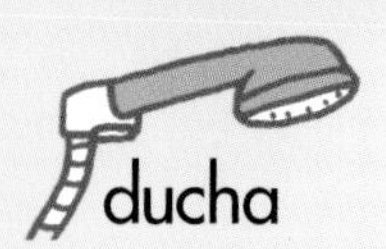

ducha

armario

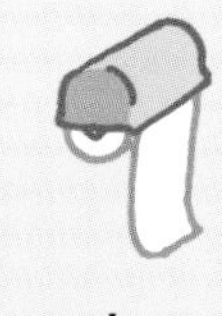

papel higiénico

toallero

burbujas

toalla

cepillo de dientes

alfombra

pasta dentífrica

váter

niña

jabón

grifo

lavabo

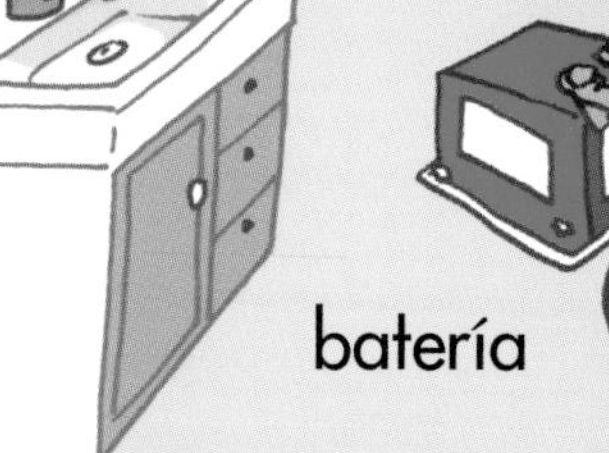

batería

Cuarto de baño

Garaje

herramientas

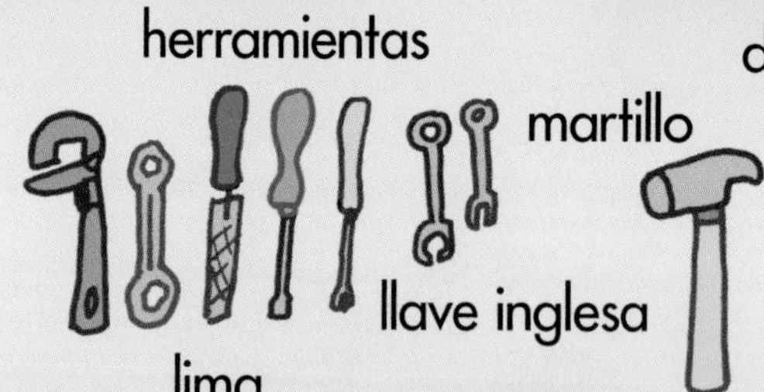

martillo

llave inglesa

lima

destornillador

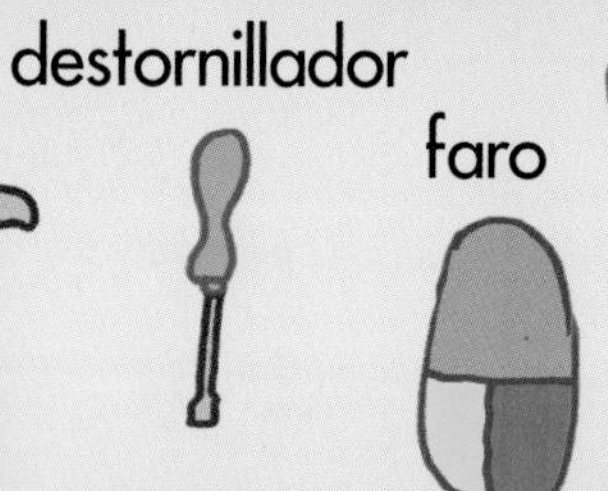

faro

cinta métric

mot

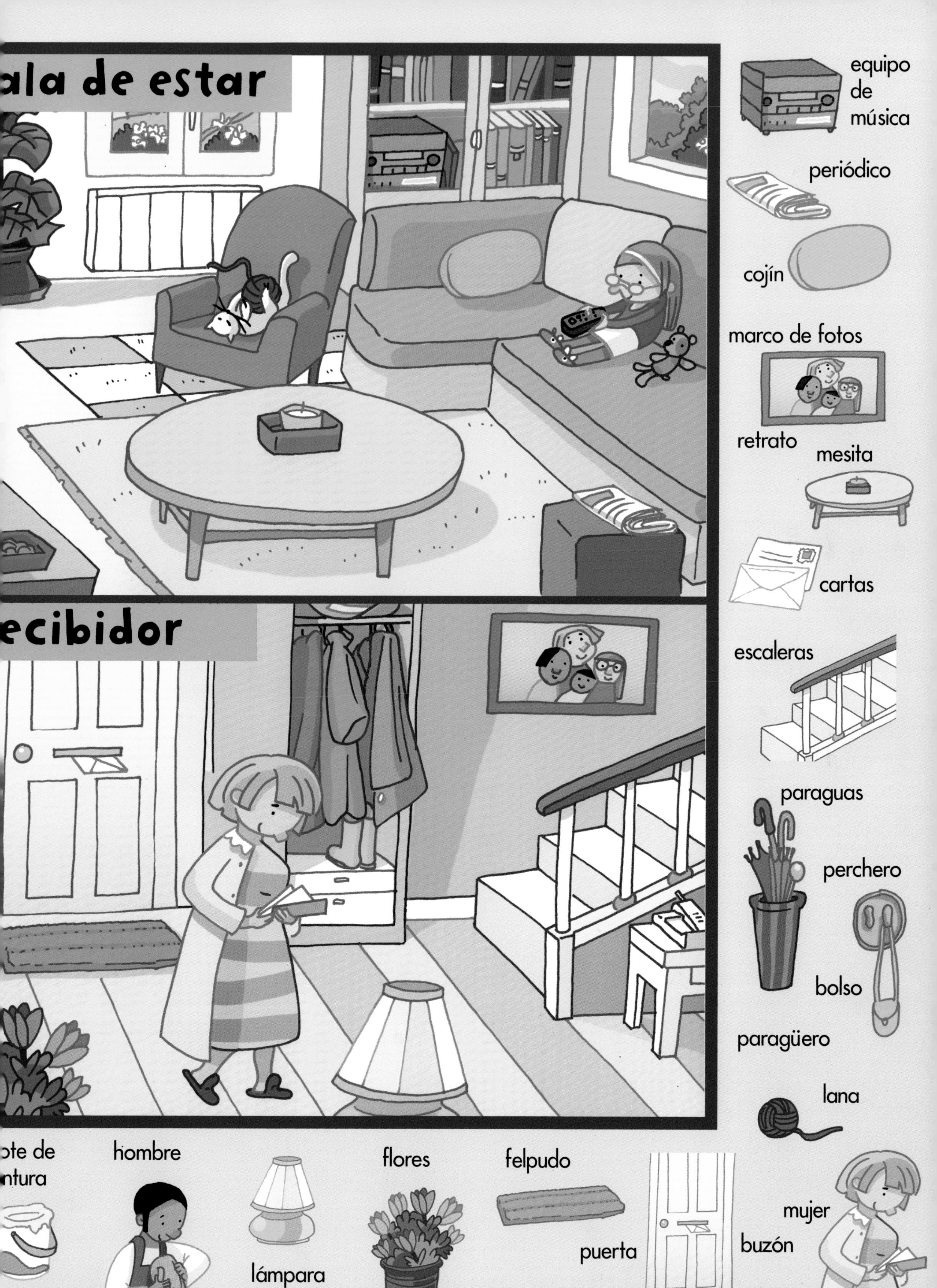
ala de estar
ecibidor
equipo de música
periódico
cojín
marco de fotos
retrato
mesita
cartas
escaleras
paraguas
perchero
bolso
paragüero
lana
ote de
ntura
hombre
lámpara
flores
felpudo
puerta
buzón
mujer

La cocina

lavadora
lámpara
cepillo
plancha
delantal
cubiertos de madera
fregona
platos
escoba
nevera
tetera
sartén
taburete
bombilla
olla
reloj
aspirador
vasos
plato
tazón
enchufe

boles
detergente
tabla de
planchar
tenedores
tazas
cucharas
cerillas
cazo
bayeta
llave
recogedor
basura
insecticida
armario de
la limpieza
plato
hondo
fregadero
cuchillos
mesa
cocina
azulejos
cajón

El dormitorio
grapadora
móvil
espejo
ropero
albornoz
almohada
silla
zapatillas
mantas
chupete
cuentos
cama
colchón
sábana
colcha
juguetes
saco de
dormir
camión
biberón
peluche

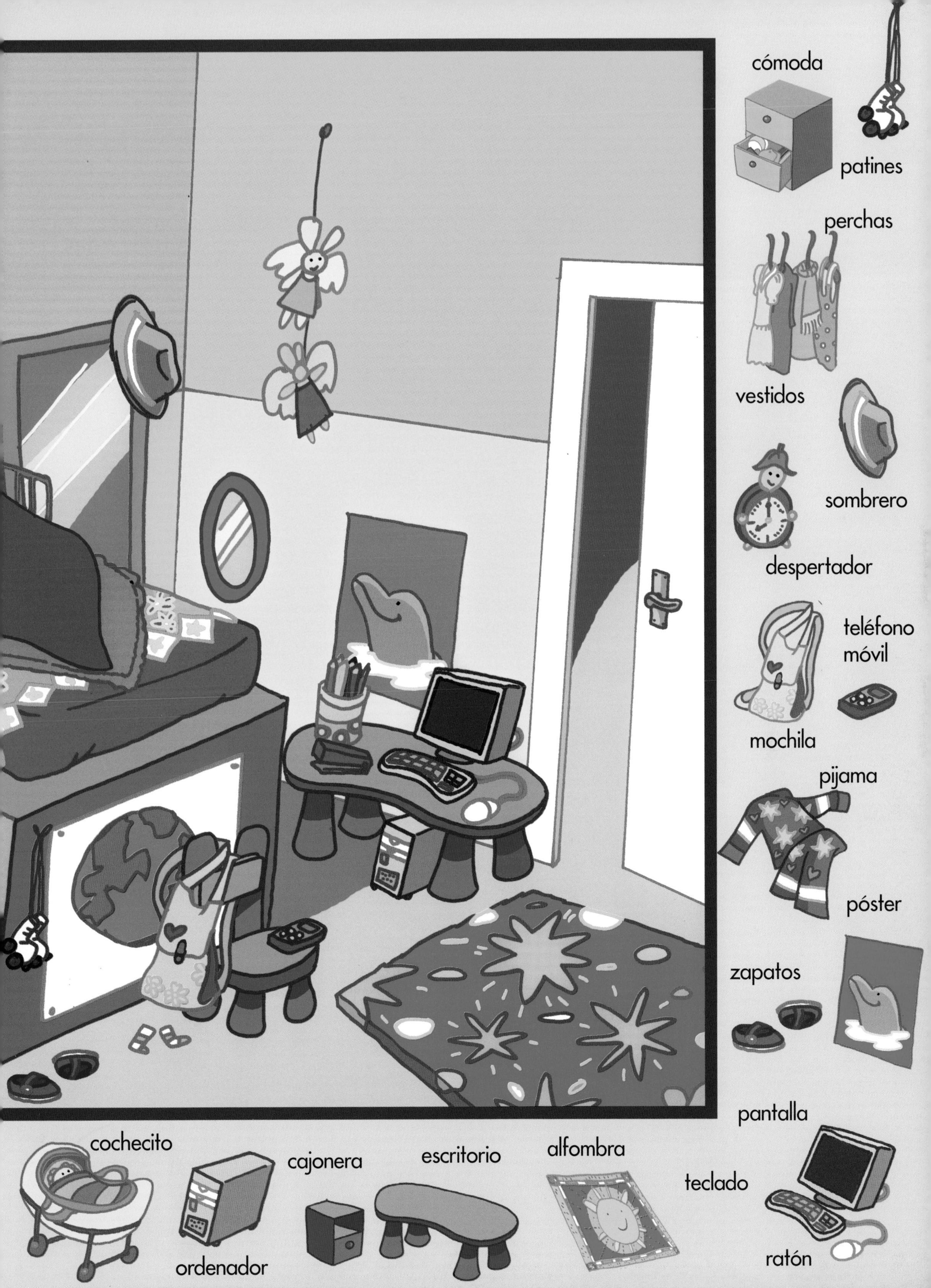

cómoda
patines
perchas
vestidos
sombrero
despertador
teléfono
móvil
mochila
pijama
póster
zapatos
pantalla
teclado
ratón
cochecito
ordenador
cajonera
escritorio
alfombra

El jardín

fuego

camino

avispa

rastrillo

flores

ladrillos
arbusto
pala
manguera
ramas
pájaro
hueso
lombriz
humo
nido
cochecito
aspersor
cañería
hojas
semillas
basura
rastrillo
segadora
hormigas

La calle
cafetería
coche de bomberos
tuberías
automóvil
hoyo
casa
peatones
farola
taxi
mercado
surtidor
gasolinera
apisonadora
cine
furgoneta
paso de cebra
conduct

tienda
bloque de pisos
semáforo
agente de policía
motocicleta
camión
tejado
ambulancia
antena
taladradora
autobús
estatua
hotel
bicicleta
patio de la escuela
iglesia
excavadora
usina
escuela

La juguetería
coche de juguete
flauta
arco
cubiletes
dados
trompeta
tambor
cubos
cámara de fotos
robot
hucha
cohete
paracaidista
casa de muñecas
juego de trenes
naipes
submarino
dardos
tanque
armóni

marionetas
barco de vela
guitarra
diana
muñecas
palas de ping-pong
buzos
piano
balancín
soldaditos de plomo
máscaras
caña de pescar
escopeta
coche de carreras
canicas
castillo
silbato
planeta

El parque

sendero
barquito
banco
cisnes
bebé
helado
correa
comba
lago
árboles
columpios
tobogán
silla de bebé
arenal
tierra
valla
merienda
balancín

pájaros
charco
renacuajos
patinete
bicicleta
pelota
niños
patitos
patines
perro
sapo
verja
pelota de tenis
cometa
parterre
cuerda
mariquita
patos

El zoo
cebras
castor
cocodrilo
camello
águila
ballena
delfines
tiburón
tigres
plumas
rinocerontes
oso
pingüinos
patas
pelícano
búfalos
ciervos
dromeda

focas
hipopótamo
palomas
chimpancé
jirafa
pantera
negra
leopardo
león
canguros
gorila
elefantes
avestruz
serpiente
osos panda
koala

La estación

taquilla

escalera mecánica

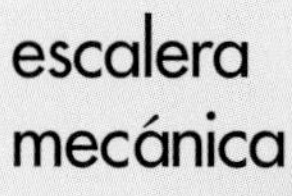

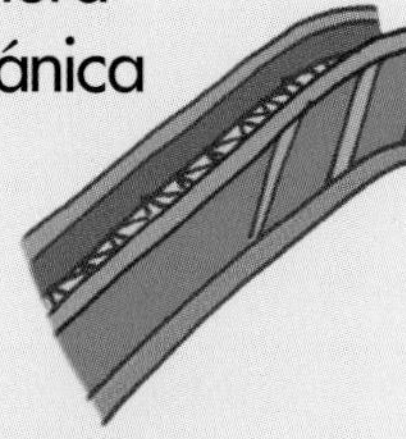

máquinas expendedoras

ramo de flores

jefe de estación

rueda

camión cisterna

maletas

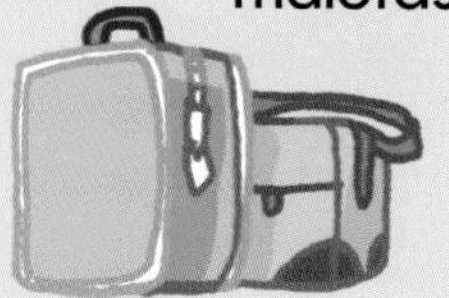

quiosco

pasajeros

vagones

gafas de sol

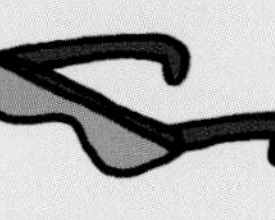

El aeropuerto
autobús
railes
asientos
azafata
señales
billetes
tren de aterrizaje
helicóptero
carrito de equipaje
avión

banco

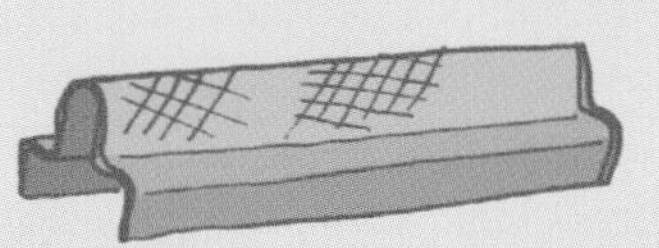

tren

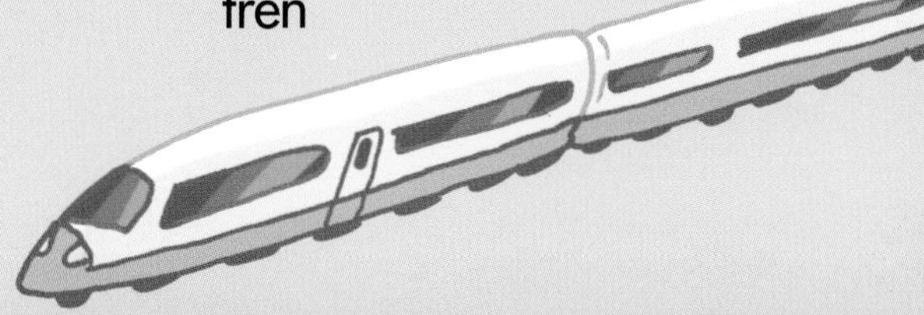

El campo

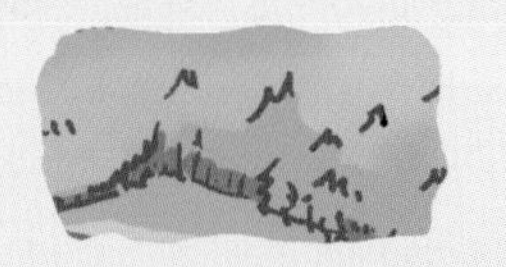

bosque

piedras

búho

molino de viento

cascada

caballos

cabaña

flores

mariposa

globo

carretera

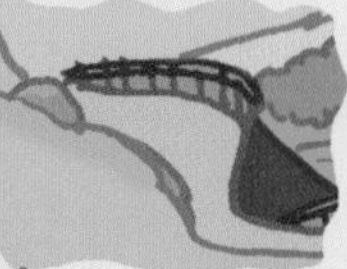

troncos

pescadores

colina

zorro

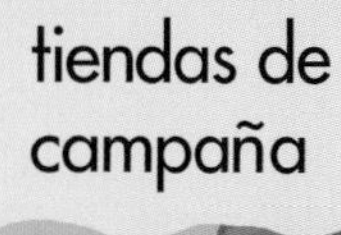

tiendas de campaña

barcaza

esclusa
liebres
rocas
ardilla
torrente
túnel
excursionistas
caravana
tejón
pueblo
río
canal
puente
topo
montaña

La granja
caballo
poni
buey
gallo
barro
pocilga
gallinero
pollitos
gallinas
gatos
casa de labranza
camión
frutales
campo
remolque

balas de paja

granjero

establo

tractor

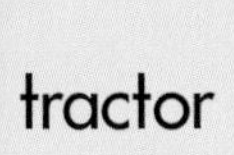

granero

ocas

silla de montar

corderos

pavos

cochinillos

patitos

carreta

vaca

cerdos

sacos

trigo

La playa
petrolero
cangrejos
algas marinas
bandera
bote
barco de vela
gaviotas
bañador
faro
estrella de mar
acantilado
boya
buque
canoa
biquini
rompeolas

barca de pesca
pescador
remo
pala
red
sombrero
cubo
conchas
castillo de arena
aletas
olas
mar
rocas
sombrilla
lancha motora
esquiador acuático
guijarros
islote
tumbona

La escuela
puerta
picaporte
archivador
tijera
lámpara
tiza
caja
aparador
pinceles
alumno
globo terráqueo
pupitre
planta
papelera
calendario
plumas
acuarelas
lápices de colores
regla
abecedario
ABRIL
3 + 8 =
3 + 9 =
4 + 2 =

operaciones
3+8= 11
3+9= 12
4+2=
5+6=
5+5=
5+4=
5+3=
5+2=
pizarra
calculadora
cuaderno
fotografías
alumna
lápices
dibujo
maceta
pincel
campanilla
persiana
caballete
libros
mapa
papeles
profesora
acuario
chinchetas

El hospital

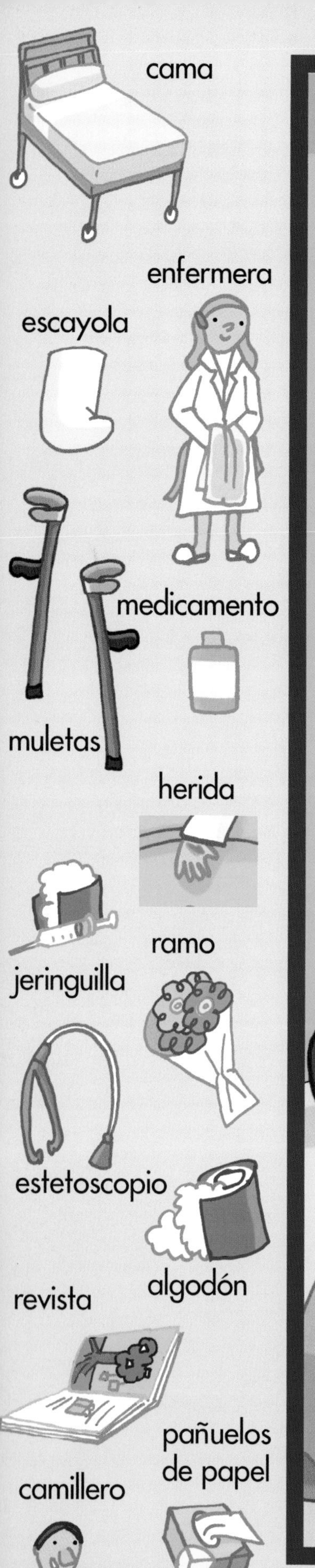
cama
enfermera
escayola
medicamento
muletas
herida
jeringuilla
ramo
estetoscopio
algodón
revista
pañuelos de papel
camillero
jarabe

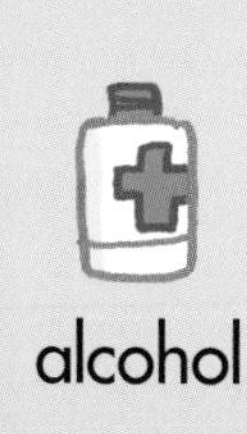
alcohol

camilla

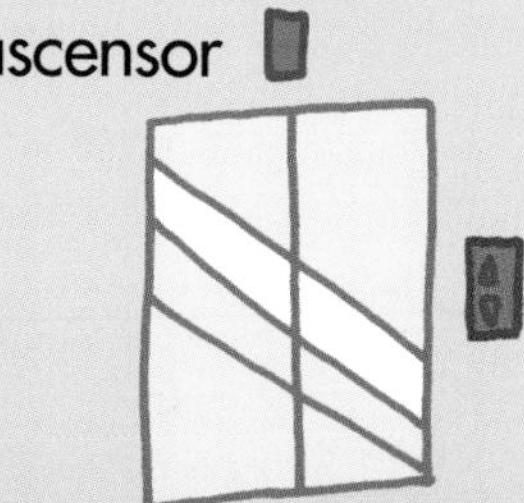
ascensor

mocos
bandeja

puzle

batín

reloj de pulsera

silla de ruedas

zapatillas

pastillas

vasos

cortina

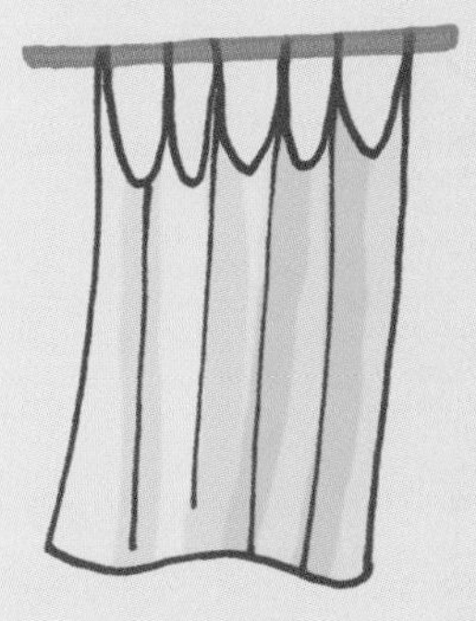

termómetro

octor

bata

zumo

tiritas

televisor

oso de peluche

vendas

beso

Cumpleaños
farolillo
pajillas
disfraz
disco
compacto
globos
chocolate
naranjada
sombreros
de papel
limonada
noche
estrellas
bollos
cohete
chispas
bengalas
crema

ventana
bocadillos
dulces
luna
velas
mantel
regalos
pastel
serpentinas
muñeca
de trapo
guirnalda
galletas
caramelos
comba
vaso de
papel

El supermercado
botellas
ajos
bolsa
apio
cerezas
calabaza
coliflor
carne
carrito
espinacas
frambuesas
fresas
cereales
ciruelas
limones
leche
longaniza
lechuga
caja registradora
carrito de
la compra
coles
pollo
champiñones
tarro
conserva
huevos
harina
yogures

monedero
mantequilla
queso
melones
mandarinas
naranjas
pomelos
plátanos
piña
mejillones
melocotones
ostras
sepia
zanahorias
tomates
pan
guisantes
coles de Bruselas
puerro
judías
magdalenas
manzanas
pescado
uva
báscula
patatas
pepinos
salmón

túnel del terror

monociclo

jaula

artista ecuestre

orquesta

domador

látigo

coches de choque

Parque de atracciones

El circo

gente

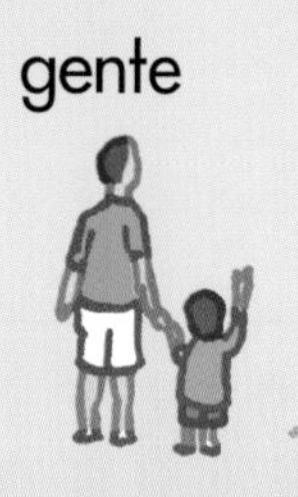

payasos

noria

malabarista

tiro al blanco

algodón de azúcar

acróbatas

palomitas de maiz

tiovivo

montaña rusa

colchonetas

pista

El restaurante
sopera
puré
camarero
copa
cerveza
arroz
cocinero
chuletas
pescado
panecillos
pollo
huevos fritos
sopa
miel
trona
vino
sal
pimienta
lechera
espague

babero

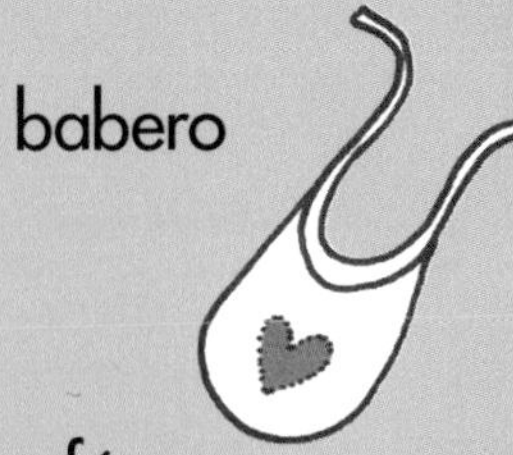

cafés

plato

taza de café

azucarillo

té

frutos secos

tortilla

carne asada

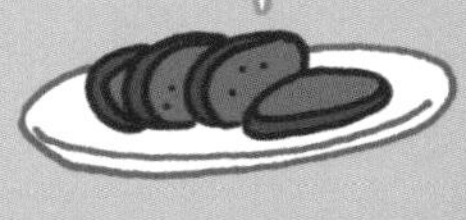

jamón

infusión

flanes

guiso

patatas fritas

servilletas

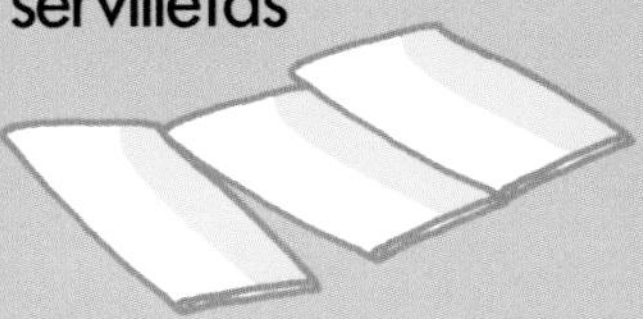

ensalada

salsera

La tienda de animales
perro
alpiste
papagayo
escalera
jaula
pienso
caballito de mar
araña
pipas
hueso
erizo
lagartija
pecera
lagarto
ranas
peces
camaleón
gato

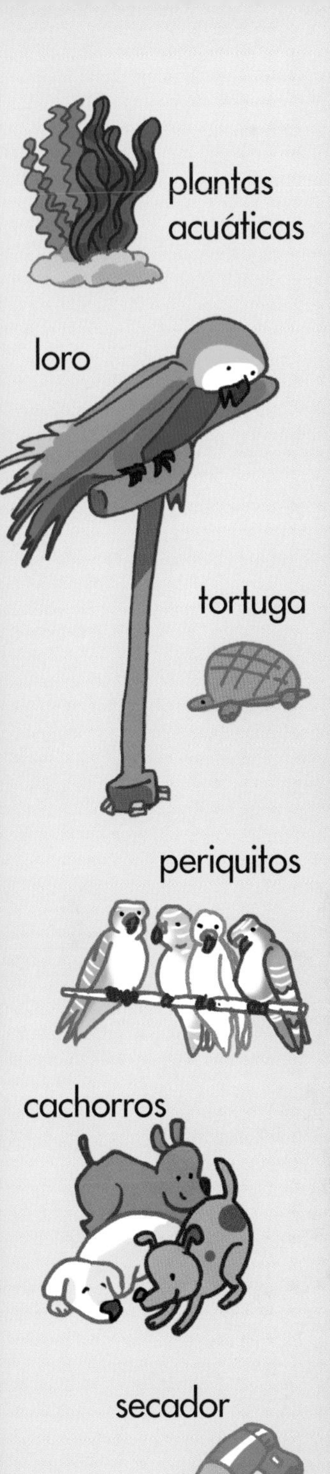

canarios

collar

terrario

gatitos

conejos

bebedero

hámster

filtro

MI CUERPO

cabello · ceja · ojo · nariz · mejilla

labios · boca · dientes · lengua · barbilla

cuello · orejas · cabeza · cara · hombros

brazos · codo · manos · dedos · pulgares

espalda · culo · pecho · barriga · rodillas

piernas · pies · dedos del pie

talón

MIS VESTIDOS

pantalones cortos

calzoncillo

vaqueros

camiseta

camisón

pantalones

falda

corbata

chaleco

chaqueta de punto

vestido

camisa

cordones

hebilla

ojales

cinturón

cremallera

bolsillos

botones

leotardos

calcetines

blusa

jersey

gorra

sombrero

anorak

chaqueta

bufanda

guantes

pañuelo

zapatillas deportivas

sandalias

botas

PROFESIONES
carnicero
bombero
cartero
submarinista
alpinista
juez
panadero
cuidador
del zoo
piloto
soldado
dentista
bailarina
cantante
piloto de carreras
actriz
artista
payaso

carpintero
astronauta
cocinero
mecánico
tendero
agricultor
policía

FAMILIA

padre
madre
hija
hermana
hijo
hermano
tío
tía
primo
abuela
abuelo

PALABRAS DE CUENTO

monstruo
dinosaurio
vaquero
desierto
ladrón
gigante
piel roja
diligencia
sheriff
Papá Noel
mago
renos
trineo
castillo
dragón
caballero
brujo
hechizo

DEPORTES

boxeo

tiro con arco

anillas

hípica

esquí

salto de altura

tenis

ciclismo

hockey

vela

ping-pong

patinaje artístico

esgrima

yudo

fútbol

béisbol

balonmano

natación

motociclismo

baloncesto

remo

carreras de caballos

automovilismo

motocross

HACIENDO COSAS

soplar

jugar

cocinar

trepar

cavar

construir

coser

tomar

saltar a la comba

estirar

ganar

correr

cantar

empujar

comer

pelear

lanzar

hablar

caminar

estar de pie

recolectar

mirar

saltar

dormir

bañarse
escribir
sonreír
pensar
pintar
abrazar
apilar
recortar
cepillarse
los dientes
leer
arrastrarse
escuchar
tropezar
esconderse
recoger
fregar
segar
reír
beber
llorar
coger
bailar
hacer punto
estar sentados

PALABRAS OPUESTAS

grande

pequeño

cerca

lejos

gordo

delgado

primero

último

frío

caliente

venenoso

comestible

blando

duro

pocas

muchas

sucio

limpio

vacío

lleno

alto

bajo

oscuro

claro

SENTIMIENTOS

TIEMPO
nubes
sol
nieve
rocío
relámpago
lluvia
niebla
viento

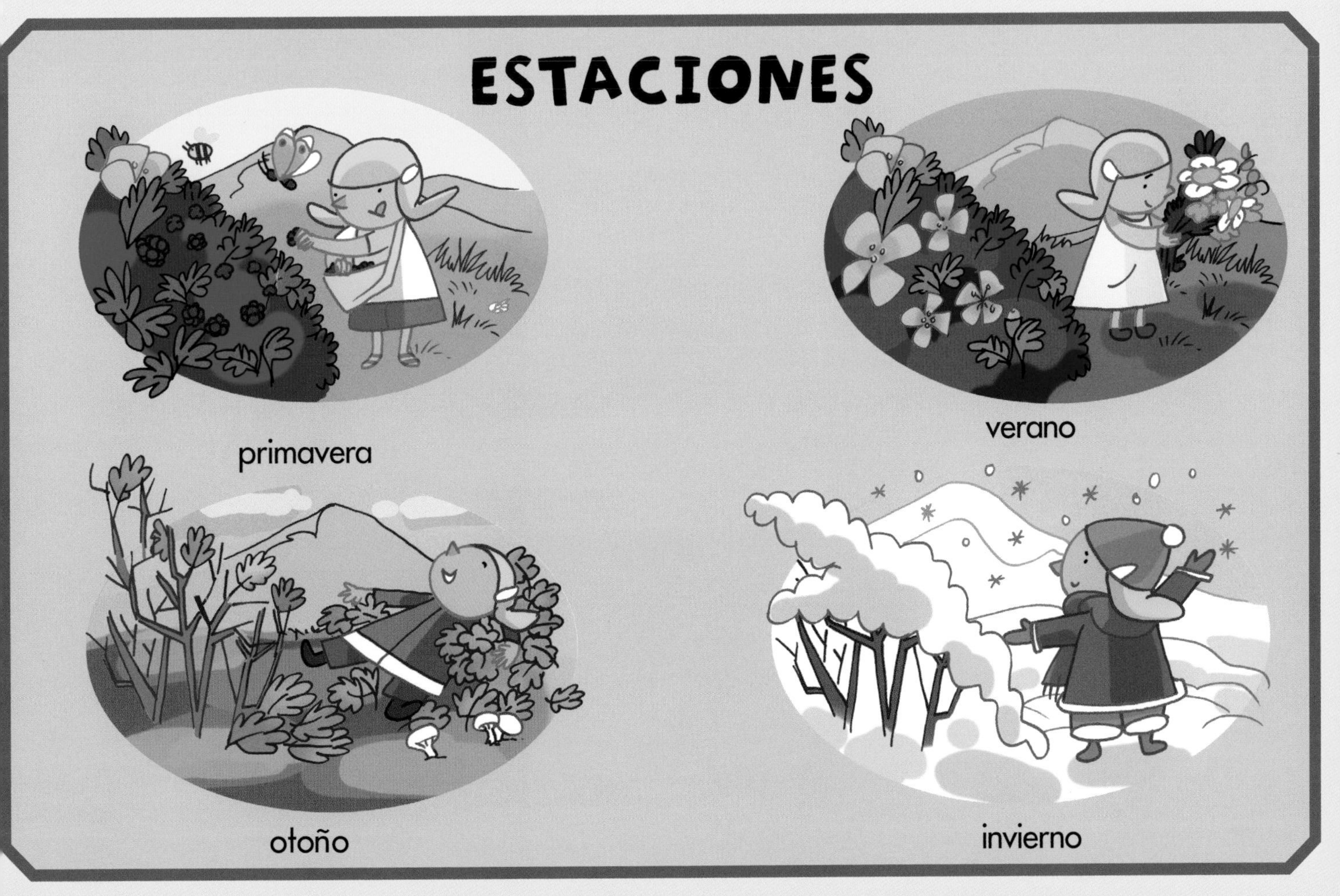
ESTACIONES
primavera
verano
otoño
invierno

COLORES
negro
marrón
amarillo
rojo
rosa
naranja
verde
lila
blanco
azul
gris

FORMAS
cuadrado
rectángulo
media
luna
óvalo
triángulo
círculo
rombo
estrella
cubo

NÚMEROS

1	uno
2	dos
3	tres
4	cuatro
5	cinco
6	seis
7	siete
8	ocho
9	nueve
10	diez
11	once
12	doce
13	trece
14	catorce
15	quince
16	dieciséis
17	diecisiete
18	dieciocho
19	diecinueve
20	veinte

Palabras sin ilustraciones

Muchas palabras para leer y deletrear

anteayer
ayer
hoy
mañana
pasado mañana

antes
ahora
mientras
después
pronto
siempre
tarde
nunca

mío
mía
nuestro
nuestra

tuyo
tuya
suyo
suya
vuestro
vuestra

este
esta
ese
esa
aquel
aquella
estos
estas
esos
esas
aquellos
aquellas

yo
tú
él
ella
nosotros
nosotras
vosotros
vosotras
ellos
ellas

algo
alguien
nada
nadie
todo
todos
aquí
allí

acá
allá
lejos
donde

segundo
minuto
hora
día
semana
mes
trimestre
año
siglo

mañana
mediodía
tarde
noche
medianoche

lunes
martes
miércoles
jueves
viernes
sábado
domingo

enero
febrero
marzo
abril
mayo

junio
julio
agosto
septiembre
octubre
noviembre
diciembre
más
bastante
mucho
menos
poco
igual

traer
llamar
venir
hacer
acabar
buscar
tener
guardar
saber
aprender
mirar
ver
mover
decir
hablar
ser
desear
parar
amar
querer

útil
feo
alegre
bonito
feliz
hermoso
mágico
malo
guapo
torpe
pobre
pesado
grande
rico
pequeño
diminuto
enorme

y
también
donde
cuando
de
desde
a
para
entre
además

pulgar
índice
corazón
anular
meñique

Índice de palabras

abajo 54
abecedario 30
abejas 12
abierto 54
abrazar 53
abuela 47
abuelo 47
aburrido 56
acantilado 28
acróbatas 39
actriz 46
acuarelas 30
acuario 31
agente de policía 15
agricultor 47
águila 20
ajos 36
alas 48
albornoz 10
alcohol 32
alegre 56
aletas 29
alfombra 6
alfombra 11
algas marinas 28
algodón 32
algodón de azúcar 39
almohada 10
alpinista 46
alpiste 42
alto 55
alumna 31
alumno 30
amarillo 58
ambulancia 15
ángel 48
anillas 50
anorak 45
antena 15
aparador 30
apilar 53
apio 36
apisonadora 14
araña 42
árbol 12
árboles 18
arbusto 13
archivador 30
arco 16
ardilla 25
arenal 18
armario 6
armario de la limpieza 9
armónica 16
arrastrarse 53
arriba 54
arroz 40
artista 46
artista ecuestre 38
ascensor 32
asientos 23
aspersor 13
aspirador 8
astronauta 47
asustada 56
autobús 15
autobús 23
automóvil 14
automovilismo 51
avestruz 21
avión 23
avispa 12
azafata 23
azucarillo 41
azul 58
azulejos 9
babero 41
bailar 53
bailarina 46
bajo 55
balancín 17
balancín 18
balas de paja 27
ballena 20
baloncesto 51
balonmano 51
banco 18
banco 23
bandeja 32
bandera 28
bañador 28
bañarse 53
barbilla 44
barca de pesca 29
barcaza 24
barco de vela 17
barco de vela 28
barquito 18
barriga 44
barro 26
báscula 37
basura 9
basura 13
bata 33
batería 6
batín 33
bayeta 9
bebé 18
bebedero 43
beber 53
béisbol 51
bengalas 34
beso 33
biberón 10
bicicleta 15
bicicleta 19
billetes 23
biquini 28
blanco 58
blando 55
bloque de pisos 15
blusa 45
boca 44
bocadillos 35
boles 9
bollos 34
bolsa 36
bolsillos 45
bolso 7
bombero 46
bombilla 8
bosque 24
botas 45
bote 28
bote de pintura 7
botellas 36
botones 45
boxeo 50
boya 28
brazos 44
brotes 12
bruja 48
brujo 49
bueno 54
buey 26
búfalos 20
bufanda 45
búho 24
buque 28
burbujas 6
buzón 7
buzos 17
caballero 49
caballete 31
caballito de mar 42

caballo 26
caballos 24
cabaña 24
cabello 44
cabeza 44
cachorros 43
cafés 41
cafetería 14
caja 30
caja registradora 36
cajón 9
cajonera 11
calabaza 36
calcetines 45
calculadora 31
calendario 30
caliente 55
calzoncillo 45
cama 10
cama 32
camaleón 42
cámara de fotos 16
camarero 40
camello 20
camilla 32
camillero 32
caminar 52
camino 12
camión 10
camión 15
camión 26
camión cisterna 22
camisa 45
camiseta 45
camisón 45
campanilla 31
campo 26
canal 25
canarios 43
cangrejos 28
canguros 21
canicas 17
canoa 28
cansado 56
cantante 46
cantar 52
caña de pescar 17
cañería 13
cañón 48
cara 44
caracol 12
caramelos 35
caravana 25
carne 36
carne asada 41
carnicero 46
carpintero 47
carreras de caballos 51
carreta 27
carretera 24
carretilla 12
carrito 36
carrito de equipaje 23
carrito de la
compra 36
cartas 7
cartero 46
casa 14
casa de labranza 26
casa de muñecas 16
cascada 24
caseta 12
castillo 17
castillo 49
castillo de arena 29
castor 20
cavar 52
cazo 9
cebras 20
ceja 44
cepillarse los dientes 53
cepillo 8
cepillo de dientes 6
cerca 55
cerdos 27
cereales 36
cerezas 36
cerillas 9
cerrado 54
cerveza 40
césped 12
chaleco 45
champiñones 36
chaqueta 45
chaqueta de punto 45
charco 19
chimpancé 21
chinchetas 31
chispas 34
chocolate 34
chuletas 40
chupete 10
ciclismo 50
ciervos 20
cine 14
cinta métrica 6
cinturón 45
círculo 58
ciruelas 36
cisnes 18
claro 55
cochecito 11
cochecito 13
coche de bomberos 14
coche de carreras 17
coche de juguete 16
coches de choque 38
cochinillos 27
cocina 9
cocinar 52
cocinero 40
cocinero 47
cocodrilo 20
codo 44
coger 53
cohete 16
cohete 34
cojín 7
colcha 10
colchón 10
colchonetas 39
coles 36
coles de Bruselas 37
coliflor 36
colina 24
collar 43
colmena 12
columpios 18
comba 18
comba 35
comer 52
comestible 55
cometa 19
cómoda 11
conchas 29
conductor 14
conejos 43
conserva 36
construir 52
copa 40
corbata 45
corderos 27
cordones 45
corona 48
correa 18
correr 52
cortina 33
corto 54
coser 52
crema 34
cremallera 45
cuaderno 31
cuadrado 58
cubiertos de madera 8
cubiletes 16
cubo 29
cubo 58
cubos 16
cucharas 9
cuchillos 9
cuello 44
cuentos 10
cuerda 19
cuidador del zoo 46
culo 44
dados 16
damas de honor 48
dardos 16
debajo 54
dedos 44

dedos del pie 44
delantal 8
delfines 20
delgado 55
dentista 46
dentro 54
deprisa 54
derecha 54
desierto 49
despacio 54
despertador 11
destornillador 6
detergente 9
día 54
diablo 48
diana 17
dibujo 31
dientes 44
difícil 54
diligencia 49
dinosaurio 49
disco compacto 34
disfraz 34
doctor 33
domador 38
dormir 52
dragón 49
dromedarios 20
ducha 6
duende 48
dulces 35
duro 55
elefantes 21
empujar 52
enano 48
enchufe 8
encima 54
enfadada 56
enfermera 32
ensalada 41
entusiasmados 56
equipo de música 7
erizo 42
escalera 12
escalera 42
escalera mecánica 22
escaleras 7
escayola 32
esclusa 25
escoba 8
escoba 12
esconderse 53
escopeta 17
escribir 53
escritorio 11
escuchar 53
escuela 15
esgrima 51
espagueti 40
espalda 44
espejo 10
espinacas 36
esquí 50
esquiador acuático 29
establo 27
estar de pie 52
estar sentados 53
estatua 15
estetoscopio 32
estirar 52
estrella 58
estrella de mar 28
estrellas 34
excavadora 15
excursionistas 25
fácil 54
falda 45
fantasma 48
faro 6
faro 28
farola 14
farolillo 34
feliz 56
felpudo 7
filtro 43
flanes 41
flauta 16
flores 7
flores 12
flores 24
focas 21
fotografías 31
frambuesas 36
fregadero 9
fregar 53
fregona 8
fresas 36
frío 55
frutales 26
frutos secos 41
fuego 12
fuera 54
furgoneta 14
fútbol 51
gafas de sol 22
galletas 35
gallinas 26
gallinero 26
gallo 26
ganar 52
gasolinera 14
gatitos 43
gato 42
gatos 26
gaviotas 28
gente 38
gigante 49
globo 24
globo 30
globos 34
gordo 55
gorila 21
gorra 45
grande 55
granero 27
granjero 27
grapadora 10
grifo 6
gris 58
guantes 45
guijarros 29
guirnalda 35
guisantes 37
guiso 41
guitarra 17
hablar 52
hacer punto 53
hada 48
hámster 43
harina 36
hebilla 45
hechizo 49
helado 18
helicóptero 23
heno 26
herida 32
hermana 47
hermano 47
herramientas 6
hija 47
hijo 47
hípica 50
hipopótamo 21
hockey 50
hojas 13
hombre 7
hombros 44
hormigas 13
hotel 15
hoyo 14
hucha 16
hueso 13
hueso 42
huevos 36
huevos fritos 40
humo 13
iglesia 15
infusión 41
insecticida 9
invernadero 12
invierno 57
islote 29
izquierda 54
jabón 6
jamón 41
jarabe 32
jaula 38
jaula 42
jefe de estación 22
jeringuilla 32

jersey 45
jirafa 21
judías 37
juego de trenes 16
juez 46
jugar 52
juguetes 10
koala 21
labios 44
ladrillos 13
ladrón 49
lagartija 42
lagarto 42
lago 18
lámpara 7
lámpara 8
lámpara 30
lana 7
lancha motora 29
lanzar 52
lápices 31
lápices de colores 30
largo 54
látigo 38
lavabo 6
lavadora 8
leche 36
lechera 40
lechuga 36
leer 53
lejos 55
lengua 44
león 21
leopardo 21
leotardos 45
libros 31
liebres 25
lila 58
lima 6
limonada 34
limones 36
limpio 55
limusina 15
llave 9
llave inglesa 6
lleno 55
llorar 53
lluvia 57
lombriz 13
longaniza 36
loro 43
luna 35
maceta 31
madre 47
magdalenas 37
mago 49
malabarista 39
maletas 22
malo 54
mandarinas 37
manguera 13
manos 44
mantas 10
mantel 35
mantequilla 37
manzanas 37
mapa 31
máquinas expendedoras 22
mar 29
marco de fotos 7
marionetas 17
mariposa 24
mariquita 19
marrón 58
martillo 6
máscaras 17
matorral 12
mecánico 47
media luna 58
medicamento 32
mejilla 44
mejillones 37
melocotones 37
melones 37
mercado 14
merienda 18
mesa 9
mesita 7
miel 40
mirar 52
mochila 11
mocos 32
mojado 54
molino de viento 24
monedero 37
monociclo 38
monstruo 49
montaña 25
montaña rusa 39
motocicleta 15
motociclismo 51
motocross 51
motor 6
móvil 10
muchas 55
muerto 54
mujer 7
muletas 32
muñeca de trapo 35
muñecas 17
murciélago 48
naipes 16
naranja 58
naranjada 34
naranjas 37
nariz 44
natación 51
negro 58
nevera 8
nido 13
niebla 57
nieve 57
niña 6
niños 19
noche 34
noche 54
noria 39
novia 48
novio 48
nubes 57
nuevo 54
ocas 27
ojales 45
ojo 44
olas 29
olla 8
operaciones 31
ordenador 11
orejas 44
orgullosa 56
orquesta 38
oscuro 55
oso 20
oso de peluche 33
osos panda 21
ostras 37
otoño 57
óvalo 58
padre 47
pájaro 13
pájaros 19
paje 48
pajillas 34
pala 13
pala 29
palas de ping-pong 17
palo de escoba 48
paloma 12
palomas 21
palomitas de maiz 39
pan 37
panadero 46
panecillos 40
pantalla 11
pantalones 45
pantalones cortos 45
pantera negra 21
pañuelo 45
pañuelos de papel 32
papagayo 42
Papá Noel 49
papelera 30
papeles 31
papel higiénico 6
paracaidista 16
paraguas 7
paragüero 7
parche 48
parterre 19

pasajeros 22
paso de cebra 14
pasta dentífrica 6
pastel 35
pastillas 33
patas 20
patatas 37
patatas fritas 41
patinaje artístico 50
patines 11
patines 19
patinete 19
patio de la escuela 15
patitos 19
patitos 27
patos 19
pavos 27
payaso 46
payasos 38
peatones 14
pecera 42
peces 42
pecho 44
pelear 52
pelícano 20
pelota 19
pelota de tenis 19
peluche 10
pensar 53
pepinos 37
pequeño 55
perchas 11
perchero 7
periódico 7
periquitos 43
perro 19
perro 42
persiana 31
pescado 37
pescado 40
pescador 29
pescadores 24
petrolero 28
piano 17
picaporte 30
piedras 24
piel roja 49
pienso 42
piernas 44
pies 44
pijama 11
piloto 46
piloto de carreras 46
pimienta 40
pincel 31
pinceles 30
ping-pong 50
pingüinos 20
pintar 53
piña 37
pipas 42
pirata 48
pista 39
pizarra 31
plancha 8
planeta 17
planta 30
plantas acuáticas 43
plátanos 37
plato 8
plato 41
plato hondo 9
platos 8
plumas 20
plumas 30
pocas 55
pocilga 26
policía 47
pollitos 26
pollo 36
pollo 40
pomelos 37
poni 26
póster 11
pozo 48
primavera 57
primero 55
primo 47
princesa 48
príncipe 48
prisión 48
profesora 31
pueblo 25
puente 25
puerro 37
puerta 7
puerta 30
pulgares 44
pupitre 30
puré 40
puzle 33
queso 37
quiosco 22
railes 23
ramas 13
ramo 32
ramo de flores 22
ranas 42
rastrillo 12
rastrillo 13
ratón 11
recogedor 9
recoger 53
recolectar 52
recortar 53
rectángulo 58
red 29
regalos 35
regla 30
reina 48
reír 53
relámpago 57
reloj 8
reloj de pulsera 33
remo 29
remo 51
remolque 26
renacuajos 19
renos 49
retrato 7
revista 32
rey 48
rinocerontes 20
río 25
robot 16
rocas 25
rocas 29
rocío 57
rodillas 44
rojo 58
rombo 58
rompeolas 28
ropero 10
rosa 58
rueda 22
sábana 10
sable 48
saco de dormir 10
sacos 27
sal 40
salmón 37
salsera 41
saltar 52
saltar a la comba 52
salto de altura 50
sandalias 45
sapo 19
sartén 8
secador 43
seco 54
segadora 13
segar 53
semáforo 15
semillas 13
sendero 18
señales 23
sepia 37
serpentinas 35
serpiente 21
servilletas 41
seta 48
sheriff 49
silbato 17
silla 10
silla de bebé 18
silla de montar 27
silla de ruedas 33
sol 57
soldaditos de plomo 17
soldado 46

sombrero 11
sombrero 29
sombrero 45
sombreros de papel 34
sombrilla 29
sonreír 53
sopa 40
sopera 40
soplar 52
submarinista 46
submarino 16
sucio 55
surtidor 14
tabla de planchar 9
taburete 8
taladradora 15
talón 44
tambor 16
tanque 16
taquilla 22
tarro 36
taxi 14
taza de café 41
tazas 9
tazón 8
té 41
teclado 11
tejado 15
tejón 25
teléfono móvil 11
televisor 33
tendero 47
tenedores 9
tenis 50
termómetro 33
terráqueo 30
terrario 43
tesoro 48
tetera 8
tía 47
tiburón 20
tienda 15
tiendas de campaña 24
tierra 18
tigres 20
tijera 30
tío 47
tiovivo 39
tiritas 33
tiro al blanco 39
tiro con arco 50
tiza 30
toalla 6
toallero 6
tobogán 18
tomar 52
tomates 37
topo 25
torrente 25
tortilla 41
tortuga 43
tractor 27
tren 23
tren de aterrizaje 23
trepar 52
triángulo 58
tridente 48
trigo 27
trineo 49
triste 56
trompeta 16
trona 40
troncos 24
tropezar 53
tuberías 14
tumbona 29
túnel 25
túnel del terror 38
último 55
uva 37
vaca 27
vacío 55
vagones 22
valla 18
vaquero 49
vaqueros 45
varita 48
vaso de papel 35
vasos 8
vasos 33
váter 6
vela 50
velas 35
vendas 33
venenoso 55
ventana 35
verano 57
verde 58
verja 19
vestido 45
vestidos 11
viejo 54
viento 57
vino 40
vivo 54
yogures 36
yudo 51
zanahorias 37
zapatillas 10
zapatillas 33
zapatillas deportivas 45
zapatos 11
zorro 24
zumo 33